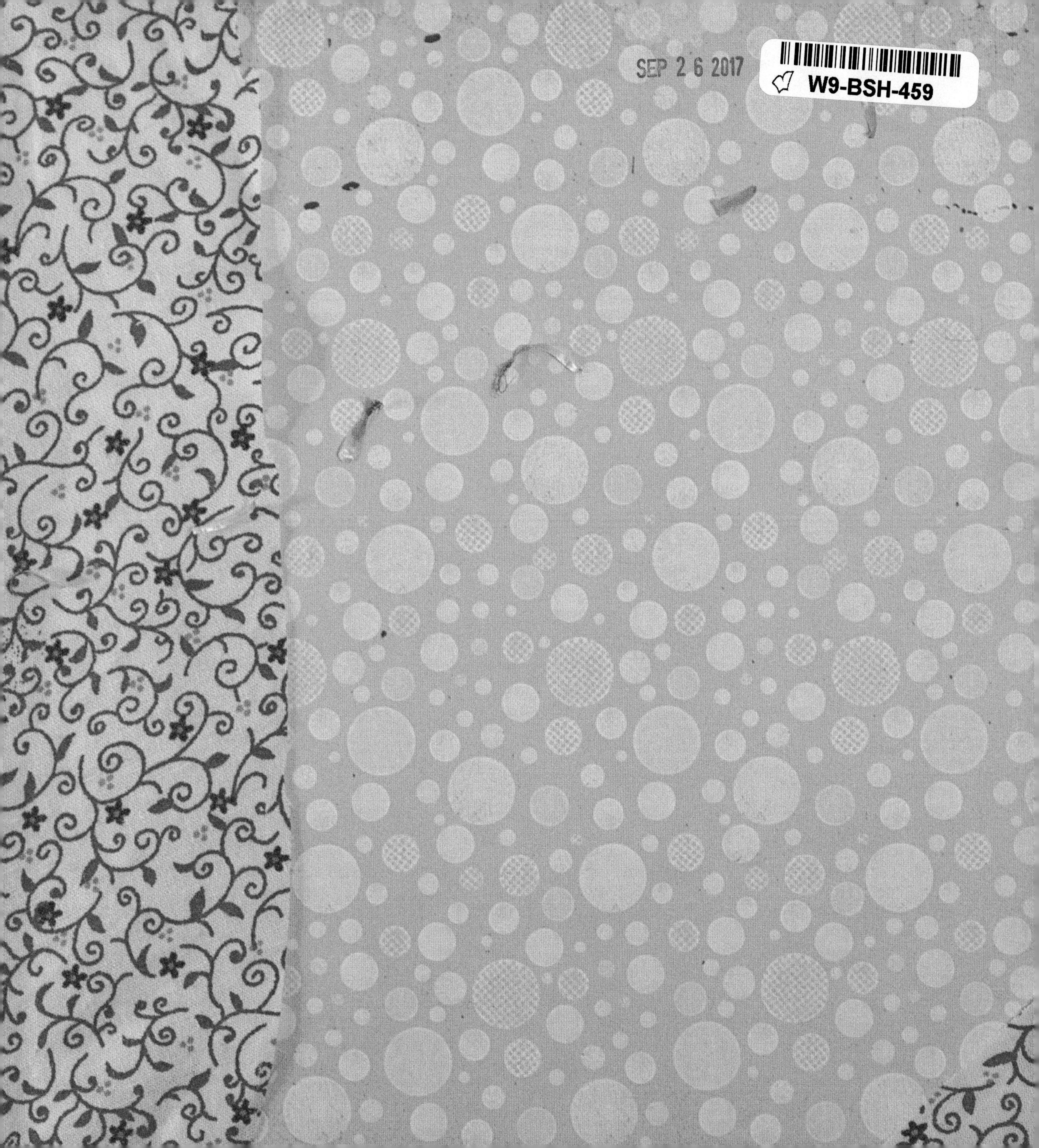

1.ª edicion: Noviembre 2016

Aribau, 142, pral. - 08036 Barcelona
www.uranito.com

ISBN: 978-84-16773-21-3
E-ISBN: 978-84-16715-68-8
Depósito legal: B-19.917-2016

Fotocomposición: Ediciones Urano, S.A.U.

Impreso por UNIGRAF, S.L.
Avda. Cámara de la Industria 38 - 28938 Móstoles (Madrid)

Impreso en España - *Printed in Spain*

A mi madre, mi padre y mi hermano por creer en mí.

A Nico. Tu apoyo incondicional me ha dado alas en esta aventura.

Y a todas la Claras con las que camino y acompaño a vestir sus sombras con mariposas de luz.

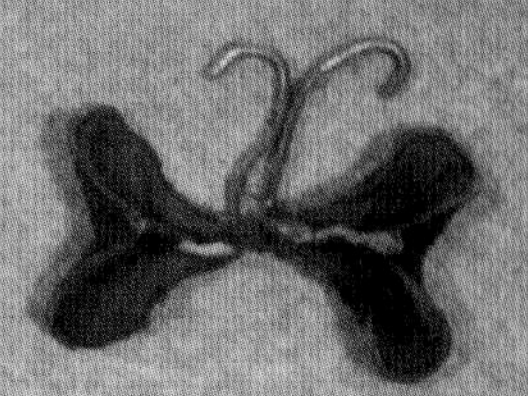

Clara y su sombra

Elisenda Pascual Martí

Ilustraciones Mercè Serra Valls

Uranito

Argentina · Chile · Colombia · España
Estados Unidos · México · Perú · Uruguay · Venezuela

Clara tiene miedo por la noche.
Hay algo que la inquieta: una sombra
oscura y pegajosa que no la deja descansar.
Además, ¡le ha quitado la sonrisa!
La sigue por todos lados desde
que empezó a jugar con ese amigo
tan amigo de su familia.

A Clara no le gusta como él la
toca. No es como cuando
juega con sus amigos
y amigas a tocarse
los cuerpos.
Él es un adulto,
y cada vez que
le pone sus
manos encima,
Clara siente
que la sombre
crece y crece.

Una mañana, cansada de que
la siga por todos lados,
se decide a descubrir qué es
lo que esconde esta sombra.
Así que prueba jugar con ella
al juego de explorar, como le
ha enseñado ese amigo tan amigo
de su familia. Cada vez que se
quedan solos, él le explica que
puede ayudarla a encontrar el secreto
que le devolverá la sonrisa y se llevará
el miedo que siente.
Clara le cree porqué es un adulto,
y su familia le ha dicho que las personas
adultas **siempre** tienen razón.
Pero su sonrisa nunca vuelve después
de jugar con él.

Esa mañana Clara se levanta y se mira al espejo.
Se acerca para observar un poco mejor
a la sombra y descubre algo nuevo:
se parece a alguien que ella conoce...
¡Oh! ¡Se parece a ella!

—¡Así me será más fácil saber dónde mirar!

—exclama ilusionada.

Decidida, se acerca a la sombra y juega con ella como ese amigo tan amigo de su familia le ha enseñado. Primero, le levanta la camiseta.

–¿A ver qué tienes escondido aquí debajo?

Pero allí no hay ningún tesoro especial, ni ninguna mariposa de colores como las que ella imagina.

—Te pasa como a mí

—le dice Clara a la sombra.

Y recuerda las veces que ha esperado
que apareciera alguna cosa mágica debajo
de su camiseta mientras ese amigo
tan amigo de su familia se
la levantaba.

—¡A lo mejor aquí debajo!

—busca Clara divertida como
si esa sombra tuviera pies.

Pero nada, no hay nada escondido tampoco, solamente
oscuridad.

Clara pasa un rato tratando de encontrar
dónde puede estar el tesoro maravilloso.
Ella insiste porque confía que cuando
lo encuentre, la sombra se va a transformar
en un suspiro de mariposas que volarán
hacia el horizonte y la dejarán tranquila.
Así se lo ha dicho ese amigo de su familia
cuando la sigue tocando.

Clara revisa la sombra por todos lados,
hasta que se da cuenta de que hay un
espacio donde todavía no ha mirado.

–¡Tendré que bajarte la ropa interior!
–dice Clara eufórica a la sombra.
–¡Aquí debajo seguro que hay algo mágico!
–Y una sensación de hormigueo le invade el vientre
e incluso debajo de su propia ropa interior.

Clara juega a desnudar del todo a la sombra oscura,
con la esperanza de encontrar el tesoro mágico
que va a transformar sus miedos en mariposas.

Cuando está a punto de descubrirlo...
se abre la puerta y aparece
su mamá que, sorprendida,
le dice:

–¡Clara!,
¿qué haces desnuda
encima de la cama,
amor?

Con la luz que se filtra
en la habitación, la sombra
se va haciendo cada vez más
pequeña hasta desaparecer.
Clara, aliviada, se abraza fuerte
a su madre y comprende que ella
sí la puede ayudar a vestir
la sombra con mariposas de luz.

FIN

Cómo usar este libro con los niños

Este cuento está escrito para ayudar a explicar el abuso sexual a los más pequeños.
En edades tempranas es importante tener una historia con la que puedan identificarse y de la que obtener herramientas para cuidarse.
Aquí tienes unas pautas breves sobre cómo enfocar la lectura del cuento.
Hay varios puntos de la historia en los que podemos incidir cuando se la explicamos:

- La figura de la sombra puede parecer algo compleja para edades tempranas. De todas formas, a partir de los 3 años, los niños ya son capaces de reconocer sus miedos y diferenciar claramente lo que les gusta de lo que no. Es importante hablar de ello usando un lenguaje adecuado y en un ambiente relajado. Te animo a que les preguntes **si hay algo que a veces les asusta por la noche**; si se parece a una sombra; qué miedos tienen; si les pasan cosas que no les gustan, etc. Es una buena manera para que comiencen a distinguir entre sus miedos y ellos mismos. A Clara también le pasa en el cuento, y seguro que a muchos amiguitos suyos también.

- También **es importante matizar qué efecto tiene cada uno de sus miedos en su sombra**. Deja que ellos mismos definan qué cambios se producen en la sombra: crece, cambia de color, se oscurece más, le sale cola, pierde un pie, etc. Los niños tiene mucha creatividad, e incluso ¡les puedes pedir que la dibujen! Y todo esto nos brinda información sobre cada uno de ellos para poderles conocer más, a la vez que genera espacios de escucha activa.

- Un tema central en el cuento son los **tocamientos**. Aprovecha el pasaje cuando Clara hace referencia a los juegos con iguales para hablar con los niños sobre ello. Puedes preguntarles si les gusta cuando sus amigos los tocan; quién le gusta que lo toque, etc. Los juegos de exploración genital son muy comunes entre los 3 y 5/6 años, a la vez que necesarios para su sano desarrollo. Es importante distinguir cuando el juego se da con personas con quienes no les apetece. Aquí puedes directamente preguntar: ¿hay alguien que te toca y no te gusta?; si obtienes una repuesta afirmativa te invito a que —manteniendo la calma para no alertar al niño y no generar hipótesis tempranas— indagues un poco más con preguntas del tipo: Y cuando te toca esta persona, ¿cómo te toca? A ver, ¿me tocas a mí igual? ¿Qué parte de tu cuerpo te gusta menos que te toque?, etc. Cuando hacen referencia a un adulto o a un niño mayor, es importante que hables con una persona experta para que pueda asesorarte y explorar más la situación.

  También puedes aprovechar esta charla para explicarles que hay adultos que se acercan a los niños y las niñas para hacerles cosas que a ellos no les gustan. Como tocarlos en sus partes íntimas o pedirles que los toquen. ¡Eso no está bien! Y es importante que lo compartan con algún adulto de confianza lo antes posible.

- «A Clara no le gusta que ese señor le toque su cuerpo». Clara piensa que como el señor es un adulto, y le han dicho que las personas adultas SIEMPRE tienen razón, tiene que gustarle porque él se lo dice. Pero no le gusta. Y todas las cosas que no le gustan, se transforman en su sombra. Puedes decirles a los niños que **las personas adultas también nos equivocamos**, y a veces hacemos cosas que a los niños no les gustan. Cuando pase esto, ¡es importante que les digas qué es lo que no te agrada!

- **Poner límites** para cuidarnos es básico. Los niños deben aprenderlo desde bien temprano. Saber decir «¡No!» cuando algo no les gusta genera una actitud de respeto interno y de seguridad.

- Finalmente, es muy importante que los niños tengan **personas de confianza** con quienes poder hablar de las cosas que no les gustan, les dan miedo, les molestan e inquietan. Si eres madre o padre y tienes este vínculo de confianza con tus hijos, ¡genial! Hay niños que lo encuentran en profesores, tíos, abuelos, etc. Asegúrate que tengan una persona con la que se sientan seguros, no juzgados y en libertad para contar lo que necesitan expresar.

Te aconsejo que para mayor información consultes la página web:

www.juliaysusombra.com

Acerca de la autora

Elisenda Pascual Martí es psicóloga y escritora.
Es una buscadora inquieta y muestra fascinación
por temáticas profundas que no dejan indiferente.
Hace más de diez años que se dedica a trabajar en el campo educativo,
especialmente con niños y niñas en etapa infantil y sus familias.
Ha co-creado, coordinado y asesorado varios proyectos
de educación libre en Cataluña.
A día de hoy trabaja en su propio proyecto
—Acompanyament Familiar—
desde el que ofrece psicoterapia, formación,
talleres y charlas por toda la península española.
Apasionada de su trabajo, vive en constante creación
mientras viaja por rincones del planeta donde
la naturaleza le susurra historias al oído.